MATHÉ-MAGIE

Illustré par A. Howe
Adaptation française d'Élise Cartier

© 1990 Henderson Publishing Ltd
Adaptation française:
© Les éditions Héritage inc. 1993
ISBN: 2-7625-7601-6
Imprimé en Grande-Bretagne

1   LES CHIFFRES MAGIQUES

Demande à quelqu'un de penser au chiffre du mois de sa naissance; par exemple, mars serait 3, mai serait 5, etc. Dis-lui de multiplier ce chiffre par 2, ensuite d'ajouter 5, de multiplier par 50, d'ajouter son âge, de soustraire 365 et d'ajouter 115, et finalement, de te dire le résultat.

Les deux derniers chiffres du résultat révèlent l'âge et les deux premiers (ou le premier) indiquent le mois. Par exemple, pour 645, 45 est l'âge et 6, le mois (juin).

2   QUEL ÂGE A L'AUDITOIRE?

Avant de faire ce tour, étudie le tableau ci-contre mais ne révèle ton secret à personne ! Tout le monde en restera bouche bée !
Ce tableau te servira à trouver l'âge de n'importe quelle personne de ton auditoire, pourvu qu'elle soit âgée de moins de 64 ans (alors il vaut peut-être mieux que grand-papa ne joue pas!).

Montre le tableau à un spectateur et demande-lui dans quelles colonnes apparaît son âge. Additionne le premier chiffre de chaque colonne indiquée. Tu obtiendras son âge. Par exemple, s'il te montre les deuxième, troisième et cinquième colonnes, il a 22 ans.

Les réponses à ces jeux sont à la fin du livre, à partir de la page 45.

«QUEL ÂGE A L'AUDITOIRE ?»

1	2	4	8	16	32
3	3	5	9	17	33
5	6	6	10	18	34
7	7	7	11	19	35
9	10	12	12	20	36
11	11	13	13	21	37
13	14	14	14	22	38
15	15	15	15	23	39
17	18	20	24	24	40
19	19	21	25	25	41
21	22	22	26	26	42
23	23	23	27	27	43
25	26	28	28	28	44
27	27	29	29	29	45
29	30	30	30	30	46
31	31	31	31	31	47
33	34	36	40	48	48
35	35	37	41	49	49
37	38	38	42	50	50
39	39	39	43	51	51
41	42	44	44	52	52
43	43	45	45	53	53
45	46	46	46	54	54
47	47	47	47	55	55
49	50	52	56	56	56
51	51	53	57	57	57
53	54	54	58	58	58
55	55	55	59	59	59
57	58	60	60	60	60
59	59	61	61	61	61
61	62	62	62	62	62
63	63	63	63	63	63

3 BAGUETTE MAGIQUE

Reproduis ce tableau sur une feuille de papier. Montre-le à un ami et demande-lui de PENSER à un des chiffres qui s'y trouvent. Ensuite, dis-lui de compter mentalement jusqu'à 20, en commençant un chiffre plus haut que celui qu'il a choisi. Pour chaque chiffre qu'il compte dans sa tête, il claque des doigts. De ton côté, pour les sept premiers claquements de doigts, tu pointes n'importe quel chiffre du tableau avec un crayon ou... ta baguette magique. Mais au HUITIÈME claquement, montre le 12, ensuite le 11, 10, 9, etc. Lorsque ton ami atteindra 20, il doit dire «stop» et à cet instant, ta baguette sera posée sur le chiffre choisi !

9	2	8	6
7	12	3	10
1	4	11	5

C'EST PAIR... OU IMPAIR ?

Ce truc de cartes en confondra plusieurs... Mais ne le fais pas deux fois pour les mêmes personnes. Utilise un paquet de cartes ordinaire. Distribue les cartes à une personne en lui disant : «Je te donne deux cartes à la fois et je veux que tu fasses deux piles égales. Ensuite je te donnerai une dernière carte et tu l'ajouteras à n'importe quelle pile pour la rendre impaire.»

Ensuite, tu dis : «Prends la pile impaire et donne-moi deux cartes à la fois, mais conserve la dernière carte dépareillée.» À sa grande surprise, la personne découvre que la pile qu'elle croyait impaire est PAIRE, et que celle qu'elle pensait paire est IMPAIRE.

LE TRUC : au moment de passer les cartes, donne neuf fois deux cartes ensemble, puis termine avec la carte seule. La pile que la personne croit avoir rendue impaire est en fait paire (dix cartes dans cette pile). C'est l'autre qui est impaire (neuf cartes).

5   LE 9 S'IMPOSE

Demande à un ami de penser à trois chiffres différents,
de les inverser et de soustraire le plus petit nombre du
plus grand. Le chiffre au centre du reste sera toujours 9.
Parfois, le résultat ne comprendra que deux chiffres.
Dans ce cas, la réponse sera toujours 99. Tu auras alors
doublement épaté ton ami.

6   LA COURSE CONTRE LA MONTRE

Qui arrivera à effectuer ces opérations le plus
rapidement possible ? Procure-toi une montre munie
d'une aiguille des secondes et avec tes amis, amuse-toi à
trouver la réponse.

1. Commence avec 8.
2. Multiplie par 2.
3. Soustrais 9.
4. Multiplie par 3.
5. Enlève 5.
6. Divise par 8.
7. Ajoute 398.
8. Divise par 10.
9. Ôte 12.
10. Divise par 4.
11. Additionne 33.
12. Coupe tout ça en deux.
13. Ajoute 10.
14. Multiplie par 2.
15. Triple le tout.

Quelle est la réponse ?

Voici un problème pour les plus futés. Demande à tes amis de le résoudre et tu verras combien de réponses fausses ils te donneront.

Au marché, un garçon achète un livre à 3 $. Il donne un billet de 10 $ au libraire. Celui-ci va chercher de la monnaie chez la marchande de fruits, à côté; lorsqu'il revient, il remet 7 $ au garçon.

Plus tard ce matin-là, la marchande de fruits se présente chez le libraire et lui dit : «Le billet de 10 $ que vous m'avez donné était faux.» Le libraire lui donne alors un bon billet.

Combien le libraire a-t-il perdu ?

8 | LE 8 VISE DANS LE MILLE

Demande à tes copains d'obtenir le chiffre 1000 en n'additionnant que des 8. Pas facile ! Sauf si tu connais la solution ci-dessous.

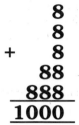

$$
\begin{array}{r}
8 \\
8 \\
+ \quad 8 \\
88 \\
888 \\
\hline
1000
\end{array}
$$

9 | LES NOMBRES CROISÉS

Voici un petit casse-tête, en apparence facile, mais qui peut en décourager plusieurs.

Dessine une figure divisée en neuf carrés. Demande à tes amis de les remplir avec des chiffres de 1 à 9, sans répéter aucun chiffre et de façon à ce que ces chiffres donnent un total de 15 si on les additionne verticalement, horizontalement et en diagonale.

Et pas question de leur donner la réponse ! Sauf s'ils donnent leur langue au chat ou trouvent la solution !

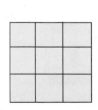

Donne trois dés à un ami et tourne-lui le dos. Dis-lui de lancer les dés et de faire le total des trois chiffres obtenus et de te le dire. Demande-lui ensuite de lancer un des trois dés et d'ajouter le chiffre obtenu, sans te dire le nouveau résultat. Ensuite, dis-lui de prendre le dé qu'il vient de lancer, de le tourner à l'envers et d'ajouter le nouveau chiffre, sans rien te dire. C'est alors que tu te retournes en lui dévoilant le total qu'il vient d'obtenir.

Le secret : il suffit d'ajouter 7 au premier chiffre obtenu.

1 2 3 4 5 6 7 8 9

Reproduis la figure ci-haut mais à plus grande échelle.
Dépose quatre pièces de 1 $ sur les cases de gauche et
quatre pièces de 1¢ sur les cases de droite, tel qu'illustré.
(Tu peux utiliser n'importe quelles pièces pourvu qu'il y
en ait quatre d'une sorte et quatre d'une autre sorte.)

Le problème consiste à transposer les pièces de façon à
ce que les dollars se retrouvent dans les cases à **droite**,
selon les règles suivantes :

1. N'avance les pièces que d'un espace à la fois.

2. Tu peux faire passer une pièce par-dessus une autre
pour arriver à un espace libre seulement si cette dernière
pièce est de l'autre sorte.

3. Les pièces ne peuvent être déplacées que dans une
direction, c'est-à-dire les dollars vers la droite et les cents
vers la gauche. Une fois bougée, une pièce ne peut être
reculée.

Le but est de «prédire» le moment où un volontaire de l'auditoire te dira d'arrêter d'empiler les cartes. Avant de commencer, en secret, mets le neuf de trèfle sur le dessus du paquet de cartes et le trois de carreau en dessous.

1. Dis à ton public que tu vas choisir deux cartes pour correspondre à celles qui apparaîtront lorsque ton volontaire t'arrêtera. Prends le trois de cœur et le neuf de pique. Place-les sur la table, à l'envers, sans les montrer.

2. Commence à empiler les cartes, sans les montrer, et demande à ton volontaire de te dire quand arrêter. Lorsqu'il dit «stop», dépose le trois de cœur, à l'endroit, sur la pile de cartes et dépose le reste du paquet sur le trois de cœur.

3. En commençant par la carte sur le dessus du paquet, fais une autre pile de cartes. Ton volontaire te dit «stop» quand il le désire. Cette fois-ci, dépose le neuf de pique, à l'endroit, sur la pile de cartes et mets le reste du paquet par-dessus.

4. Rappelle aux gens que tu avais choisi deux cartes au début. Sors alors le trois de cœur et la carte qui se trouve par-dessus. Fais de même avec le neuf de pique. Tu révéleras ainsi les paires correspondantes.

Dans cette addition grand format, chaque rangée comprend le zéro et les chiffres de 1 à 9. Additionne-les et vois de quoi est faite la réponse !

```
0 1 2 3 4 5 6 7 8 9
0 2 4 6 9 1 3 5 7 8
0 4 9 3 8 2 7 1 5 6
0 6 1 7 2 8 3 9 4 5          +
0 8 6 4 1 9 7 5 2 3
0 9 8 7 6 5 4 3 1 2
1 2 3 4 5 6 7 8 9 0
1 6 0 4 9 3 8 2 5 7
1 9 7 5 3 0 8 6 2 4
1 7 2 8 3 9 5 1 3 6
```

14 L'AFFAIRE EST DANS LE SAC !

Marie a donné à Luc 25 pièces de monnaie et six sacs. Elle lui a demandé de mettre une quantité impaire de pièces dans chacun des sacs de façon à ce qu'il ne reste plus de pièce.

Il ne devrait pas être possible de mettre un nombre impair d'objets dans un nombre pair de sacs, de boîtes ou de ce que tu voudras et d'obtenir ainsi un nombre total impair d'objets.

Et pourtant, Marie insiste qu'elle y est parvenue. Comment Luc doit-il s'y prendre ?

Bien malin qui trouvera cette astuce ! Il te faut trois pièces de monnaie et une feuille de papier sur laquelle tu traceras une ligne droite. Le problème consiste à placer les pièces sur la feuille pour que le côté «face» apparaisse deux fois d'un côté de la ligne et le côté «pile» deux fois de l'autre côté. Deux fois «pile» et deux fois «face» ? Ça fait bien quatre pièces, non ? Comment y arriver avec trois pièces ?

Facile ! Mets une pièce de façon à voir le côté «face» d'un côté de la ligne. Dépose une autre pièce, le côté pile visible, de l'autre côté de la ligne. Ensuite, mets la troisième pièce sur la ligne, «debout», en équilibre sur sa bordure, le côté «face» tourné vers la pièce dont on voit aussi le côté «face» sur le papier. Rapproche les deux premières pièces ensemble pour maintenir la troisième en équilibre. Voilà !

Les sommes de ces additions ont un point en
commun. Trouve la solution pour chacune et tu
verras !

$$1 \times 9 + 2 = \underline{\hspace{2cm}}$$
$$12 \times 9 + 3 = \underline{\hspace{2cm}}$$
$$123 \times 9 + 4 = \underline{\hspace{2cm}}$$
$$1234 \times 9 + 5 = \underline{\hspace{2cm}}$$
$$12345 \times 9 + 6 = \underline{\hspace{2cm}}$$
$$123456 \times 9 + 7 = \underline{\hspace{2cm}}$$
$$1234567 \times 9 + 8 = \underline{\hspace{2cm}}$$
$$12345678 \times 9 + 9 = \underline{\hspace{2cm}}$$
$$123456789 \times 9 + 10 = \underline{\hspace{2cm}}$$

17   UNE PARTIE DE HUIT ?

Un nombre comprend huit chiffres. Il y a deux 1, deux 2, deux 3 et deux 4. Les 1 sont séparés par un chiffre, les 2 par deux chiffres, les 3 par trois chiffres et les 4 par quatre chiffres. De quel nombre s'agit-il ?

18   DES CARTES ASTUCIEUSES

Demande à un ami de penser à un nombre de 1 à 90. Il doit garder ce chiffre secret. Malgré cela, tu parviendras à le deviner à tout coup... grâce à ces cartes numériques. Montre les sept cartes à ton ami. Dis-lui de t'indiquer les cartes sur lesquelles apparaît son chiffre secret. Il te suffit ensuite d'additionner le chiffre qui apparaît dans le coin supérieur gauche de chaque carte indiquée par ton ami. Par exemple, il choisit **38**. Ce chiffre apparaît sur les cartes avec le **32**, le **4** et le **2** dans le coin supérieur gauche.

32 + 4 + 2 = 38

Et ça fonctionnera à tout coup ! Sauf si ton ami oublie de t'indiquer toutes les cartes... ou si tu fais une erreur d'addition !

DES CARTES ASTUCIEUSES

1	25	47	69
3	27	49	71
5	29	51	73
7	31	53	75
9	33	55	77
11	35	57	79
13	37	59	81
15	39	61	83
17	41	63	85
19	43	65	87
21	45	67	89
23			

2	26	47	70
3	27	50	71
6	30	51	74
7	31	54	75
10	34	55	78
11	35	58	79
14	38	59	82
15	39	62	83
18	42	63	86
19	43	66	87
22	46	67	90
23			

32	40	48	56
33	41	49	57
34	42	50	58
35	43	51	59
36	44	52	60
37	45	53	61
38	46	54	62
39	47	55	63

16	27	54	81
17	28	55	82
18	29	56	83
19	30	57	84
20	31	58	85
21	48	59	86
22	49	60	87
23	50	61	88
24	51	62	89
25	52	63	90
26	53	80	

64	71	78	85
65	72	79	86
66	73	80	87
67	74	81	88
68	75	82	89
69	76	83	90
70	77	84	

8	27	46	73
9	28	47	74
10	29	56	75
11	30	57	76
12	31	58	77
13	40	59	78
14	41	60	79
15	42	61	88
24	43	62	89
25	44	63	90
26	45	72	

4	23	46	69
5	28	47	70
6	29	52	71
7	30	53	76
12	31	54	77
13	36	55	78
14	37	60	79
15	38	61	84
20	39	62	85
21	44	63	86
22	45	68	87

19   LE 21 DE JAMAIS

Mets un ami au défi de choisir six chiffres de cette liste et de les additionner pour qu'ils donnent exactement 21. Ça semble facile mais attends et tu verras !

Un secret : il vaudrait mieux donner un temps limite à ton pauvre ami... car il est impossible de solutionner ce problème !

111

333

555

777

999

20   VOYAGE DANS LE TEMPS

En 1961, la date avait la même apparence vue à l'endroit ou à l'envers. Quelle est la dernière année, avant 1961, qui présentait la même caractéristique ?

QUATRE ET CINQ FONT... HUIT ?

Voici quatre traits. Peux-tu en tracer cinq autres pour arriver à huit ?

‖ ‖ ‖ ‖

QUATRE MOINS QUATRE FONT... HUIT !

Voici comment révéler au monde entier que 4 - 4 = 8. Mais oui ! Bien sûr, il y aura des sceptiques mais ils n'ont qu'à bien se tenir car tu as une preuve irréfutable !

Prends un morceau de papier de n'importe quelle grandeur. Assure-toi cependant qu'il a bien quatre coins. Coupe un triangle de chaque coin, tel qu'indiqué.

Au départ, ton morceau avait quatre coins. Après avoir coupé ces quatre coins, tu constates qu'il en reste huit ! Donc, 4 - 4 = 8 ! Un autre grand moment de l'histoire de la science !

Voici comment donner la réponse avant de connaître la question. Tu as besoin d'un crayon, de papier et de quelqu'un à épater par l'étendue de ton savoir.

1. En secret, écris le chiffre **9** sur un bout de papier et garde-le en main.

2. Demande à quelqu'un de penser à un chiffre entre 10 et **98**, sans te révéler lequel. Les seuls nombres «hors jeux» sont ceux formés de chiffres identiques : **11, 22, 33, 44, 55, 66, 77** et **88**.

Pour t'exercer, imaginons que ton ami a choisi le **65**.

3. Dis-lui de mettre le chiffre à l'envers. (Le **65** devient **56**.)

4. Dis-lui de soustraire le plus petit chiffre du plus gros. **(65 - 56 = 9)**

5. Dis-lui de reprendre son nombre original et de faire la différence des deux chiffres qui le composent. (Pour **65, 6 - 5 = 1**.)

6. Demande-lui de diviser le nombre obtenu à l'étape 4 par celui obtenu à l'étape 5. (**9 ÷ 1 = 9**)

7. Déclare-lui maintenant que la réponse à l'équation se trouve sur le papier que tu as en main depuis le début. Et ça marchera à tout coup : la réponse sera **9**.

Facile de réunir ces points avec des traits mais...
peux-tu y arriver avec seulement quatre traits droits
et sans que ton crayon quitte la page une seule fois ?

Et voici que maintenant, tu lis dans les pensées ! Mais pour cela, il te faut du papier, un crayon et un ami à prendre au piège.

1. Dessine un carré. Inscris 3 au-dessus et en dessous du carré.

2. Demande à ton ami de penser à un chiffre de 1 à 9 et de l'inscrire, sans te le montrer, à l'intérieur ainsi qu'à gauche et à droite du carré.

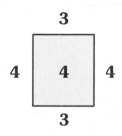

3. Il y a maintenant cinq chiffres inscrits. Dis à ton ami de les additionner et de te dire le total.

4. Le moment est venu de lire dans ses pensées. Il suffit de diviser le chiffre que ton ami vient de te dire par 3, et de soustraire 2. Par exemple, s'il a choisi 4, il aura écrit le chiffre 4 trois fois, en plus de tes deux 3. Donc 4 + 4 + 4 + 3 + 3 = 18. Divise 18 par 3, ce qui donne 6. Et 6 - 2 = 4 !

Si ton ami choisit 9, le total serait alors 33 (9 + 9 + 9 + 3 + 3 = 33), divisé par 3, donne 11, et moins 2, donne… 9 !

26 | L'ALPHABET CODÉ

Voici un code secret à déchiffrer. Associe les chiffres
de 1 à 26 aux lettres de l'alphabet. Par exemple,
A = 1, B = 2, Z = 26. Et maintenant, trouve l'intrus !
Attention aux chiffres avec des dizaines !

a) 12212451321521187
b) 25127917215
c) 16125192119
d) 411451311811
e) 61811435
f) 3114141
g) 92011295

27 | À LA BONNE HEURE !

Quelle heure est-il sur cette horloge reflétée dans un
miroir ?

ENCORE DES CHIFFRES !

Quel chiffre devrait apparaître à la place du « ? » du
dernier cercle ?

1.

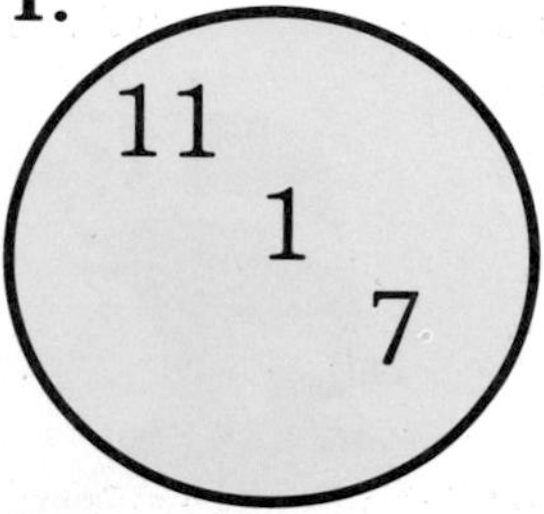

11
1
7

2.

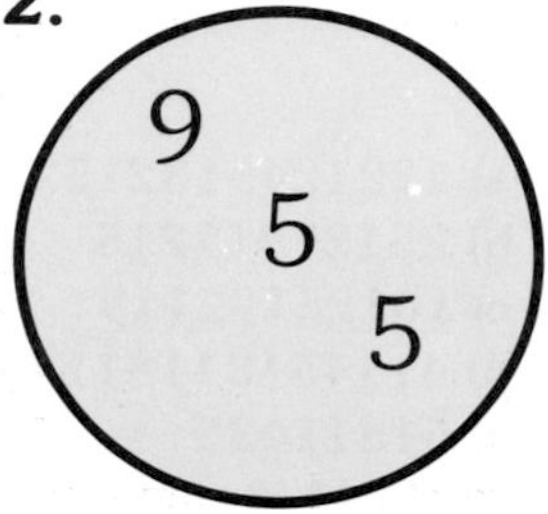

9
5
5

3.

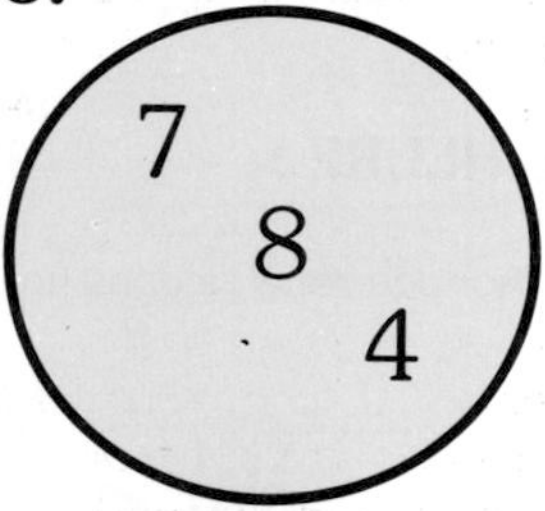

7
8
4

4.

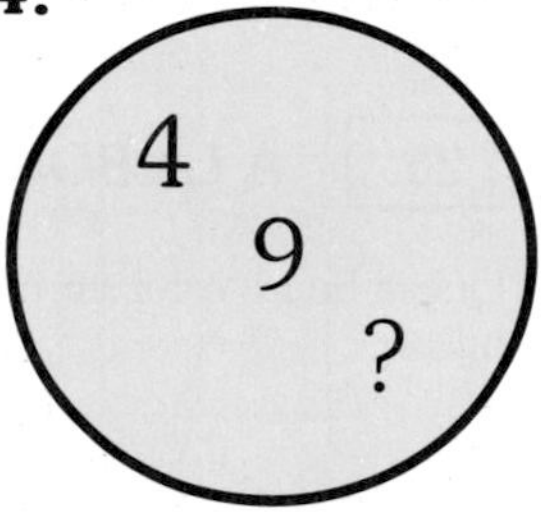

4
9
?

29 | MATHÉMAGICIEN

Pour ce tour, procure-toi deux feuilles de papier, une enveloppe, un crayon... et un auditoire.

Tu vas donner l'impression de connaître la réponse d'une addition à laquelle une personne de l'auditoire n'a pas encore songé ! Ça te semble tarabiscoté ? Tu vas voir, c'est facile.

Rappelle bien à ton auditoire que tu possèdes de puissants pouvoirs divinatoires. Soudain, désigne une personne du doigt en déclarant que tu as perçu une de ses pensées. (Tu verras : même les plus incrédules voudront en savoir plus long !) Précipite-toi ensuite vers un morceau de papier (que, «par hasard», tu auras placé tout près) et écris le chiffre 1089. Replie le papier sans que personne ne voie ce que tu viens d'inscrire, mets-le dans une enveloppe que tu cachètes.

Donne la seconde feuille de papier au spectateur choisi. Demande-lui d'y inscrire un nombre composé de trois chiffres différents (par exemple 789), de renverser ces chiffres (987) et de soustraire le plus petit nombre du plus grand (987 - 789 = 198). Il écrit le résultat de cette soustraction avec trois chiffres, même si le premier est un zéro.

Demande-lui d'inverser les chiffres de ce nombre (**891**) et de l'additionner au résultat obtenu plus haut (**891 + 198**).

Demande-lui de lire la réponse finale à voix haute. Avec de grands gestes théâtraux, remets-lui alors l'enveloppe qui contient le même chiffre qu'il aura obtenu : le **1089** !

Voici un bon tour pour étonner ton auditoire. Mais avant, tu dois t'exercer avec un complice !

Vous devez convenir d'un code simple, semblable à l'exemple ci-dessous :

1 = concentre-toi , 2 = difficile, 3 = peux-tu, 4 = quel, 5 = rapidement, 6 = s'il te plaît, 7 = je vais, 8 = maintenant, 9 = tes pouvoirs.

Ensuite, demande à un spectateur d'écrire un nombre sur un bout de papier qu'il te remet ensuite. Pendant ce temps, ton complice se tient au fond de la pièce. (Un bandeau sur ses yeux fera de l'effet !)

Alors, te rappelant bien le code secret dont vous avez convenu, révèle-lui le chiffre en demandant : «**Quel** est ce chiffre ?» (Ton complice sait alors qu'il s'agit du **4**.) Ou encore, en disant : «**Concentre-toi** bien ! Car je sens que ce sera **difficile.**» (Ton complice déduit qu'il s'agit du 12.)

Tu peux faire ce tour pour «deviner» des chiffres sur des cartes à jouer ou des dates de naissance. Si ton complice et toi connaissez votre code parfaitement et que vous parlez de façon naturelle, les spectateurs seront CON-FON-DUS !

LE 7 MAGIQUE

Depuis longtemps, on attribue un pouvoir spécial au chiffre 7. Même les anciens Égyptiens étaient fascinés par ce chiffre. Et aujourd'hui, il n'a rien perdu de ses pouvoirs : certains calculs donnent, avec un petit coup de pouce, toujours 7.

Épate un ami. Demande-lui d'entrer sur une calculatrice n'importe quel nombre et de l'inscrire sur une feuille de papier. Ce nombre doit comprendre au moins un chiffre de moins que ce qui peut apparaître sur l'écran de la calculatrice. Ensuite, donne-lui ces instructions :

1. Multiplier le chiffre choisi par 2.

2. Ajouter 5.

3. Ajouter 12.

4. Soustraire 3.

5. Diviser la réponse par 2.

6. Soustraire le premier nombre choisi (celui que ton ami a écrit sur le papier).

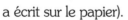

Et voilà la réponse : le 7 magique !

Il y a un truc ! Mais il est possible de le trouver ! Il s'agit de penser à **toutes** les possibilités. Voilà le problème : de 19, soustrais 1 et obtiens 20 comme réponse.

19 - un = 20

c'est faisable

32   **LE CHIFFRE MANQUANT**

50400, 7200, 900, 100, ?

33   TU ES GÉ-NI-AL !

Voici quelques casse-tête pour te mettre à l'épreuve !

1. A et B représentent chacun un chiffre.

Si **AB + AB = A x A**, quelle est la valeur de A et de B ?

Quoi ? Tu dis déjà «pouce» ! Alors voilà un indice : un des chiffres est le 8.

2. Combien y a-t-il de 1 dans cent un millions cent onze mille un ?

3. Essaie de faire ces opérations en chiffres romains

X + X - III - IV + XII - IX + VII =

4. Et maintenant, fais appel à tous tes pouvoirs de concentration pour effectuer cette équation mentalement.

Commence avec 4. Multiplie par 2. Soustrais 3. Multiplie par 2. Divise par 5. Ajoute 68. Multiplie par 3. Enlève 30. Divise par 3. Ôte 12. Divise par 4. Additionne 30. Coupe tout ça en deux. Ajoute 4. Multiplie par 4. Triple le tout. Quelle est la réponse ?

LES ÉTOILES DE L'ADDITION

En voilà une pour les passionnés d'additions. Place des chiffres de 1 à 12 pour que le total des chiffres apparaissant sur chaque ligne soit le même. Quels sont les chiffres manquants ?

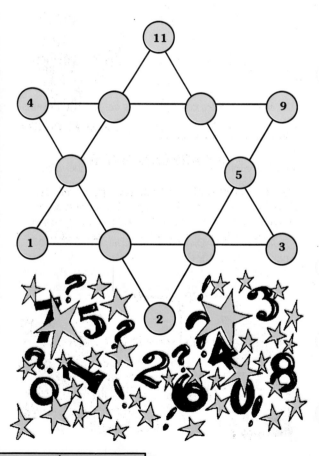

35 | LE CARRÉ MAGIQUE

Dans chacun de ces seize carrés, inscris un chiffre de 1 à 16. Chaque chiffre ne peut être utilisé qu'une fois. Le total de ces chiffres pour n'importe quelle rangée, colonne ou diagonale doit être identique.

1	15		14
			7
		16	
8		5	11

36 | LES CARRÉS VOLATILES

Ces cinq carrés sont formés de seize petits bâtons. Peux-tu réduire le nombre de carrés à quatre en ne bougeant que deux bâtons ? Tu ne peux superposer les bâtons et il ne doit y avoir aucun carré ouvert ou inachevé.

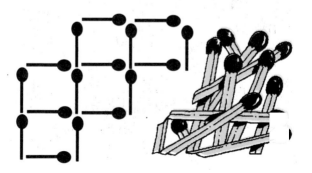

Un magicien a sept filles qui ont chacune un frère.
Combien le magicien a-t-il d'enfants ?

Il a fallu 20 petits bâtons pour construire ces sept boîtes. Nous te mettons au défi : en ne bougeant que quatre bâtons, peux-tu arriver à réduire le nombre de boîtes à cinq ? Il est défendu de superposer les bâtons, de les cacher dans tes poches ou de les avaler. Il ne doit y avoir aucun carré ouvert ou inachevé.

39   UN TOUR ALLÉCHANT

Celui ou celle qui trouvera la solution mérite bien des CHOCOLATS !

Chaque lettre de cette addition correspond à un chiffre. Le premier nombre de trois chiffres est plus élevé que le deuxième et plus petit que le troisième. Le deuxième nombre est un multiple de 5. Voici d'autres indices... La lettre C correspond au chiffre 3. La lettre O est égale à 2 fois C. La lettre A est égale à C + 1. Et voilà ! Et maintenant, au travail !

40   ERREUR DE CALCUL

Eh, oui ! Nous avons commis une erreur ! Il y a quelque chose qui cloche dans cette multiplication. Parmi ces nombres, un des chiffres est faux. À toi de trouver !

$$24 \times 13 = 377$$

Voici un carré magique très spécial. Tous les nombres sont formés des chiffres 6 et 9 seulement. Aucun nombre n'est répété et les nombres manquants sont tous formés de quatre chiffres. Comme pour les autres carrés magiques de ce livre, trouve ces nombres en te rappelant que le total de chaque rangée, colonne ou diagonale doit être identique. En trouvant les réponses, tu découvriras une constante. Une fois complété, découvre une autre version de ce carré magique en le regardant... à l'envers !

9969		**9699**	
			6669
6966	**9669**	**6696**	
6699		**6969**	**9666**

UN AUTRE CARRÉ MAGIQUE

Ce carré contient des chiffres de 1 à 25. La somme pour chaque rangée, colonne ou diagonale doit être la même et tu ne peux utiliser chaque nombre qu'une seule fois.

17	24		8	
			14	
4		13		
		19	21	3
11	18	25		

43 DEUX CARRÉS EN UN !

Pour ce carré magique, remplis les cases avec des
nombres composés de quatre chiffres parmi les
suivants : 1, 0, 6, 8 et 9. Bien entendu, le total doit
être le même pour chaque rangée, colonne ou
diagonale.

Mais ce n'est pas tout. Après avoir mis ton génie à
l'épreuve à l'endroit, retourne ton œuvre à l'envers !
Tu découvriras alors un autre carré magique.

	1886		
6961	9109		1088
9806		1981	
8911		6866	

Un Romain de l'Antiquité nommé Polybe a inventé un code pour envoyer d'importants messages secrets. Il utilisait une carte composée de 25 cases, comme celle-ci.

COLONNES

	1	2	3	4	5
1	A	B	C	D	E
2	F	G	H	I	J
3	K	L	M	N	O
4	P	Q	R	S	T
5	U	V	W	XY	Z

RANGÉES

Pour envoyer son message, il employait des chiffres au lieu de lettres. À chaque lettre correspondait une position, tout d'abord sur une rangée et ensuite, dans une colonne. Par exemple, J devenait 25 (rangée 2, colonne 5) tandis que S devenait 44.

En utilisant le carré de Polybe, peux-tu déchiffrer cette blague ? Les Romains la trouvaient bien drôle. Et toi ?

```
33 35 34     13 23 24 15 34     34 11
41 11 44     14 15     34 15 55
13 35 33 33 15 34 45     44 15 34 45
24 32     45 15 43 43 24 12 32 15
```

45 | QUEL ÂGE AI-JE ?

Procure-toi une calculatrice de poche pour ce tour. L'exploit consiste à trouver l'âge d'un ami, d'un professeur ou d'un parent sans que celui-ci te l'ait dit.

Donne la calculatrice à ton volontaire et recommande-lui de bien suivre les instructions suivantes :

1. Entrer son âge.
2. x 5
3. + 5
4. x 2
5. + 5
6. x 10

Demande ensuite à ton volontaire de te redonner la calculatrice en laissant le nombre affiché.

7. Soustrais 87 du nombre affiché.

8. Enlève les deux derniers chiffres du nombre obtenu.

9. Et voilà ! Le nombre final constitue l'âge de ton volontaire maintenant ébahi par ton immense savoir.

LES 5 EMBERLIFICOTÉS

Voici une série de 5 emberlificotés. Compte-les en multipliant le total par cinq chaque fois que tu en trouves un nouveau. Par exemple : 5 x 5 = 25; 25 x 5 = 125, etc.

Quelle est la réponse finale ?

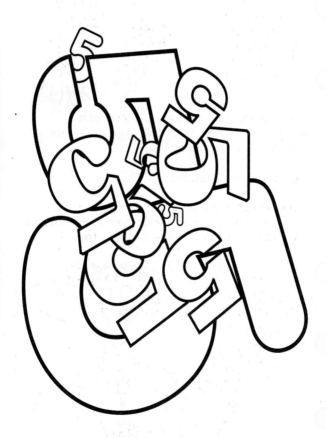

Pour ce tour, utilise une calculatrice.

Demande à un ami de penser à un nombre formé de cinq chiffres ou moins et de l'entrer dans la calculatrice, sans te le montrer.

Dis-lui ensuite de suivre les étapes suivantes :

1. Multiplier par 5.
2. Ajouter 25.
3. Multiplier par 5.
4. Ajouter 35.
5. Multiplier par 4.

Maintenant, demande-lui de te redonner la calculatrice dont l'écran montre toujours le résultat des cinq étapes précédentes.

Et maintenant, à ton tour !

Soustrais 640 du total affiché. Enlève les deux derniers chiffres du nombre et tu auras ainsi retrouvé le nombre que ton ami avait choisi au départ !

Savais-tu qu'il est possible de former des mots avec une calculatrice de poche ? Résous les problèmes ci-dessous et, à chaque réponse obtenue, retourne la calculatrice à l'envers pour découvrir un tout autre résultat : un mot !

A. 142 741 x 5 =
B. 2 814 104 ÷ 8 =
C. 933 630 x 4 + 988 =
D. 2 187 644 ÷ 58 =
E. 5 540 x 6 + 492 =
F. 100 x 10 x 5 + 2 =

49 AH, LA VACHE !

Pas nécessaire d'être bon en mathématiques pour faire ce problème. Il faut tout simplement être... un véritable mathémagicien !

Le fermier Cantin a eu une journée chargée ! Il a transporté 500 vaches en cinq chargements : le nombre total de vaches transportées lors des premier et deuxième chargements est 190; le total pour les deuxième et troisième chargements est 155; lors des troisième et quatrième voyages, il a transporté 210 vaches; et finalement, les quatrième et cinquième chargements contenaient 225 vaches.

Combien de vaches le fermier Cantin a-t-il transportées lors du troisième voyage ?

Voici une façon plutôt originale d'apprendre la table de neuf. Par exemple, pour trouver la solution de 4 x 9, regarde le numéro 4 sur la figure ci-dessous, et ensuite, en suivant la ligne tortillée, lis les chiffres qui y figurent. Pour 4 x 9, la réponse est 36.

Fais quelques essais :

2 x 9 =
3 x 9 =
5 x 9 =
6 x 9 =
7 x 9 =
8 x 9 =

RÉPONSES

6. La course contre la montre
180

7. Les faux billets
7 $... et le livre !

9. Les nombres croisés

8	3	4
1	5	9
6	7	2

11. Des cents aux dollars
6 à 5, 4 à 6, 3 à 4,
5 à 3, 7 à 5, 8 à 7, 6 à 8,
4 à 6, 2 à 4, 1 à 2,
3 à 1, 5 à 3, 7 à 5,
9 à 7 , 8 à 9,
6 à 8, 4 à 6, 2 à 4,
3 à 2, 5 à 3, 7 à 5,
6 à 7, 4 à 6, 5 à 4
Et voilà !

13. De + en +
9 876 543 210

14. L'affaire est dans le sac !
Il remplit cinq sacs avec cinq pièces chacun et met ces cinq sacs dans le sixième sac !

16. Un truc bien balancé
= 11
= 111
= 1 111
= 11 111
= 111 111
= 1 111 111
= 11 111 111
= 111 111 111
= 1 111 111 111

17. Une partie de huit ?
41 312 432 (ou ce nombre inversé : 23 421 314)

20. Voyage dans le temps
1881

21. Quatre et cinq font... huit !

24. Des points à réunir

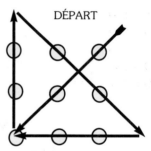

26. L'alphabet codé
a) Luxembourg
b) Belgique
c) Pays-Bas
d) Danemark
e) France
f) Canada
g) Italie
Le Canada est l'intrus puisqu'il s'agit du seul pays non européen.

27. À la bonne heure !
10h15 (ou 22h15)

28. Encore des chiffres !
Nombre manquant : 6.
Le total est 19 pour chaque cercle.

31. Question piège

Le truc consiste à utiliser des chiffffres romains ! Ainsi, si tu retires le I de XIX, tu obtiens XX ou 20 !

32. Le chiffre manquant
10

33. Tu es gé-ni-al !
1) A = 8, B = 4   2) 6
3) XXIII (23)   4) 300

34. Les étoiles de l'addition

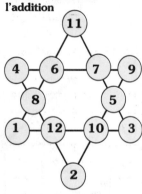

35. Le carré magique

1	15	4	14
12	6	9	7
13	3	16	2
8	10	5	11

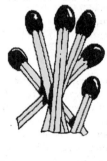

36. Les carrés volatiles

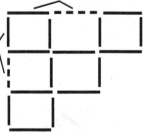

37. Encore le 7!
Huit. Sept filles et un fils.

38. Carrément compliqué!

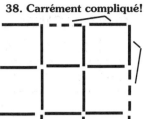

39. Un tour alléchant

```
  396
  365
+ 480
 1 241
```

40. Erreur de calcul

Nous avons 24 x 13 = 312
Il est impossible qu'il y ait
deux chiffres incorrects.
Donc, nous retenons 377;
et maintenant, 377 ÷ 24 =
15,7083;
alors, nous retenons le 13;
finalement, 377 ÷ 13 = 29.
La multiplication serait
exacte si tu remplaces
le **4** par le **9**.

41. La magie des 6 et des 9

9969	6666	9699	6996
9696	6999	9966	6669
6966	9669	6696	9999
6699	9996	6969	9666

42. Un autre carré magique

17	24	1	8	15
23	5	7	14	16
4	6	13	20	22
10	12	19	21	3
11	18	25	2	9

43. Deux carrés en un!

8018	1886	6169	9901
6961	9109	8816	1088
9806	6068	1981	8119
1189	8911	9008	6866

44. Code secret à la romaine

Mon chien n'a pas de nez.
Comment sent-il? Terrible!

46. Les 5 emberlificotés

48 828 125 (Ou 5^{11}, donc il y a onze 5.)

48. Une calculatrice lettrée

A. 713 705 - SOLEIL
B. 351 763 - ÉGLISE
C. 3 735 508 - BOSSELÉ
D. 37 718 - BILLE
E. 33 732 - ZÉLÉE
F. 5 002 - ZOOS

19. Ah, la vache!

Il y avait 190 vaches lors des deux premiers chargements et 225 lors des quatrième et cinquième chargements, ce qui fait un total de 415 vaches. Ce qui signifie que lors du troisième voyage, il y avait 500 - 415 = 85 vaches.

50. Le neuf facile

$2 \times 9 = 18$
$3 \times 9 = 27$
$5 \times 9 = 45$
$6 \times 9 = 54$
$7 \times 9 = 63$
$8 \times 9 = 72$

FIN